Solovino, el perro equivocado

Solovino, el perro equivocado

Ana Luisa Anza

Ilustraciones de Julián Cícero

Anza, Ana Luisa
Solovino, el perro equivocado / Ana Luisa Anza : il. Julián Cicero – 3ª ed. – México : Ediciones SM, 2008 [reimp. 2015].
59 p. : il. ; 19 x 12 cm – (El barco de vapor. Blanca ; 15)

ISBN : 978-970-688-373-5

1. Cuentos mexicanos. 2. Literatura infantil. 3. Autoestima – Literatura infantil. 4. Perros – Literatura infantil. I. Cicero, Julián, il. II. t. III. Ser.

Dewey M863 A59

Ilustraciones y cubierta: Julián Cicero

Primera edición, 2002
Tercera edición, 2008
Séptima reimpresión de la tercera edición, 2015

Magdalena 211, Colonia del Valle,
03100, México, D. F.
Tel.: (55) 1087 8400
Para conocer SM, su fondo editorial y sus servicios: www.ediciones-sm.com.mx

ISBN 978-970-688-373-5
ISBN 978-968-779-176-0 de la colección El Barco de Vapor

Miembro de la Cámara Nacional de la Industria Editorial Mexicana
Registro número 2830

Impreso en México / *Printed in Mexico*

Solovino Isekedó Ramírez
es el nombre de mi perro.
Bueno, su nombre y apellidos.
Algunos piensan que es
un nombre muy extravagante,
pero tiene una explicación
de lo más simple.

Solovino llegó un día a casa
como si hubiera vivido
con nosotros siempre.
Entró por la puerta,
se acomodó en
un sillón de la sala
y me hizo mil fiestas
cuando lo descubrí echado ahí.

Parecía su lugar favorito
de toda la vida
y como si yo
hubiera estado con él
desde que nació.

—¿Se puede saber
quién trajo a ese perro?
–dijo mi mamá
cuando Solovino
fue a saludarla,
mientras ella
hacía ejercicio, veía la tele y
se aplicaba una mascarilla
de pepino en la cara,
todo al mismo tiempo.

—No sé… solo vino –dije.
Y de ahí su nombre de pila.

Cuando mi papá llegó
a casa por la noche,
preguntó lo mismo.
Las preguntas de los adultos
son muy poco originales.

—¿Y a ese perro...
quién lo trajo?
–preguntó cuando
Solovino comenzó
a masticar sus zapatos
por debajo de la mesa.

—Se llama Solovino –dije,
no dándole importancia,
como si fuera muy normal
que los perros se instalen
con una familia
sin mayor trámite de adopción.

—¿Y luego? –preguntó papá.

—Vino... ¿y?

—Y se quedó –dijo mamá, quien ya se había encariñado con Solovino.

Y de ahí salió
su primer apellido,
Isekedó.
Tendría que
haberlo escrito
Ysequedó,
pero me gustó
más de la otra forma, con k,
porque al escribirlo
se ve como japonés
y me recuerda
al *sushi*, mi comida favorita.

Luego le agregué
el Ramírez,
no porque sea mi apellido,
sino para ponerle
algo más normal.
Así se apellidaba
mi culebra,
que murió
de tanto rascarse
por el cambio de piel y
se quedó seca
en el trastero de la cocina.

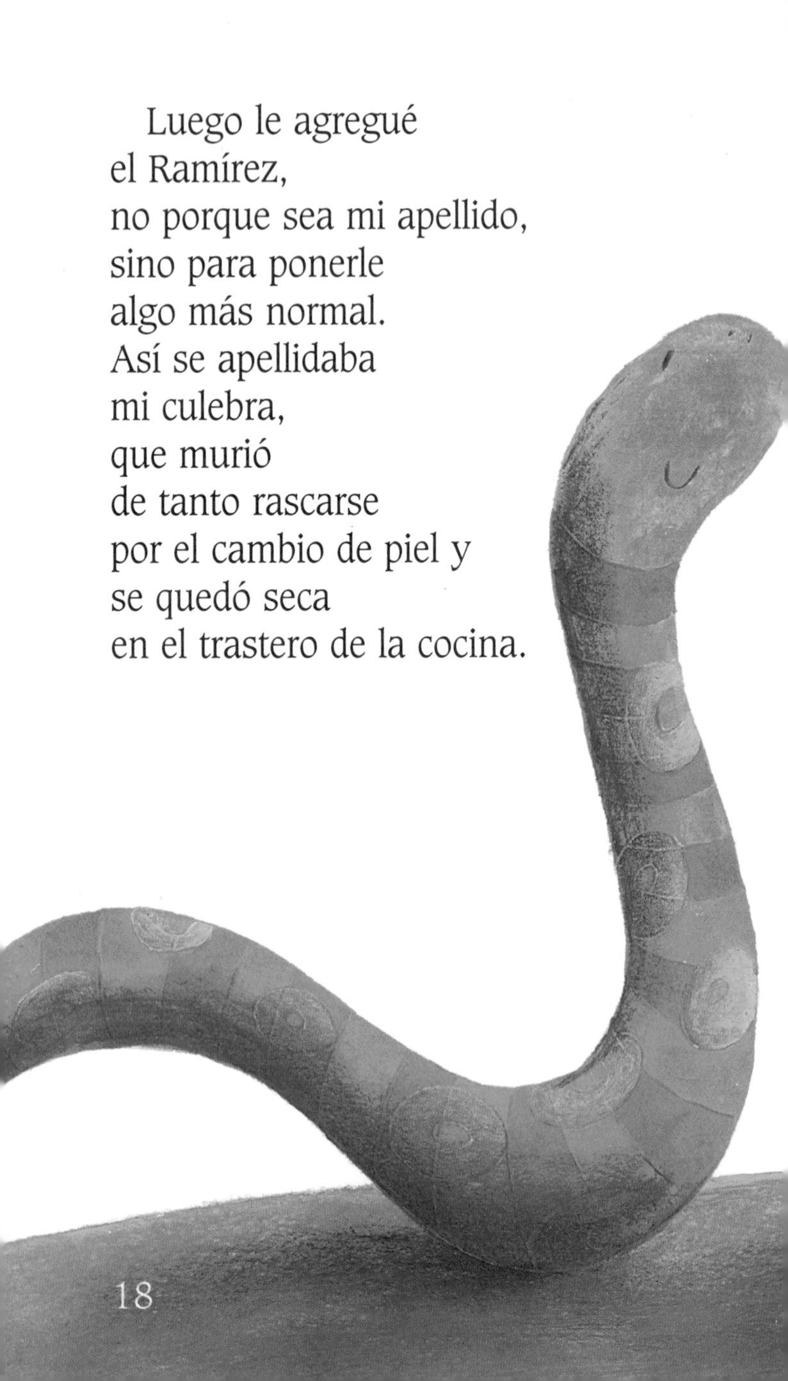

Es un homenaje
a la Culebra Ramírez
y así todo mundo
sabrá que no la olvido.

Solovino es un perro
de profesión equivocada.
Si entre los humanos
hay oficios
como carpinteros,
panaderos, albañiles,
azafatas y banqueros,

entre los perros
también hay profesiones.

Unos son cazadores,
otros acompañantes de ciegos,
otros compiten
en carreras de velocidad,
otros rescatistas de niños perdidos,
unos atrapa-varitas,
y otros hasta voluntarios
que salvan a las personas
de las avalanchas de nieve.

Son los oficios
típicos de los perros.
Pero Solovino
no es nada de eso.
No se ha dado cuenta
de que es un perro.

Eso lo digo
porque lo conozco
y lo he visto
transformarse
en otros animales.
No le cambia
la piel por plumas,
tampoco se le esfuman
dos patas de repente,
ni se pone a mugir.
Cuando Solovino
ve a otros animales,
le da por imitarlos.

Fue en la fiesta
de cumpleaños
de mi vecino Pablo,
cuando empezó
a actuar raro.

En esa casa
hay muchos gatos.
No sé si
les gustan mucho
o es porque
en el barrio
hay bandas de ratones
que tienen guaridas
en todas las casas.

El caso es que
Solovino se metió al jardín,
justo cuando
partíamos el pastel
y de inmediato
se lanzó hacia
los cuatro gatos favoritos
de la mamá de Pablo.

Yo pensé:
"Ahora sí, adiós gatos",
porque Solovino
es un perro grande
y un poco brusco
de movimientos.

Pero no,
Solovino movía la cola
contentísimo.

Para ese momento,
los gatos ya
estaban trepados
en una barda,
todos erizados, nerviosos
y amenazando a mi perro
con sus uñotas.

Solovino dejó de ladrar.
Empezó a alzar el lomo
y a mirar como fiera.

Sus ladridos
se convirtieron en aullidos,
pues por más que
quisiera maullar,
no le salía.
Cada quien
en el reino animal
tiene su propia voz.

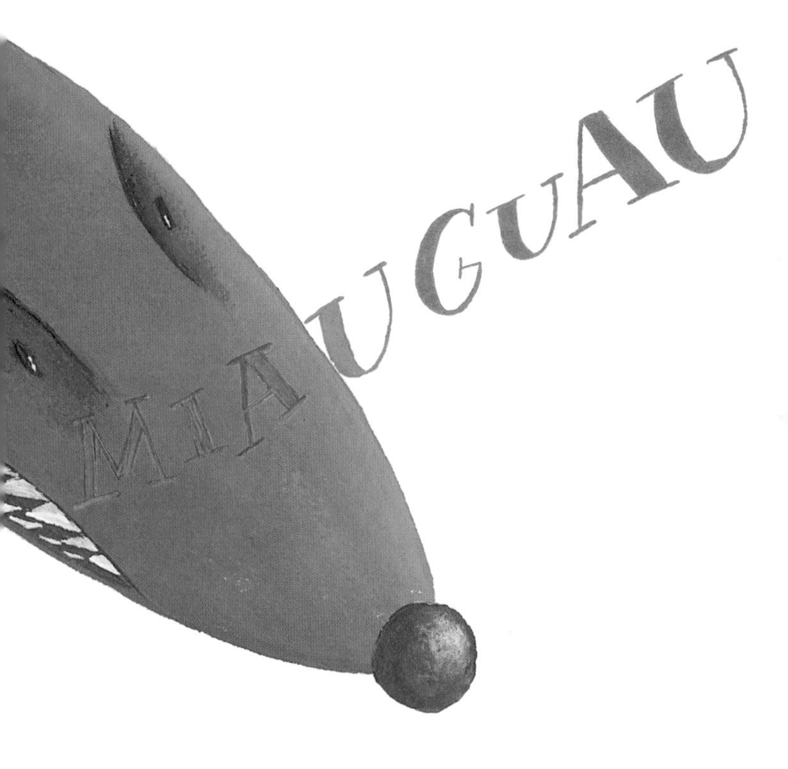

Los gatos se miraron
entre ellos,
como sorprendidos.
Entonces Solovino
empezó a hacer
las típicas gracias de los gatos:
manosear una pelotita,
tallarse contra las piernas de todos
–con un prrr
que no le salió tan bien–
y a estirarse
antes de echarse al sol.
La imitación
le salió perfecta.
Esa fue la primera vez.

PRRRRRRR

A los pocos días
fuimos a explorar
por el río que pasa
atrás de mi casa.

Me encanta ir
porque hay muchos animales:
renacuajos que luego luego
se convierten en ranas,
peces, mariposas, pájaros y
hasta langostinos de río,
ni modo que de mar.

Después de caminar
varios kilómetros
–a lo mejor fueron metros–,
llegamos a la parte
que más me gusta,
donde el río se vuelve profundo,
como un estanque.

Como siempre me puse
a observar a los peces.
Algunos niños los pescan
sólo por diversión,
pero a mí me da tristeza
que se mueran.
Yo prefiero ver cómo
se organizan al nadar
todos parejitos de un lado al otro.

Solovino se puso a
observar conmigo,
en vez de husmear por ahí
como todos los perros.
Y de repente... ¡zaz! se lanzó al agua.

Yo pensé que
tenía calor.
Pero me asusté
cuando
no volvió a sacar
la cabeza para respirar.
Me di cuenta de que
se creía pez
bajo el agua
y me lancé
a rescatarlo,
como los salvavidas
en la playa.

Solovino tragó
bastante agua
y tosió mucho.
Por suerte
no tuve que
darle respiración
de boca a boca,
o más bien,
de boca a
hocico.

Otro día fuimos
a casa de la abuela.
Ahí hay un jardín grande
lleno de tortugas.

Me encantan
las tortugas,
son como
dinosaurios chiquitos,
con su boca en zig-zag
y su piel
dura y arrugada.

Solovino no
había visto
una tortuga nunca.
Eso creo.
Al principio
se comportó como perro,
las olió y
observó sus movimientos.

En cuestión de minutos,
se tiró al piso
y avanzó lentamente,
como hacen los soldados
en las películas
escondiéndose del enemigo.
Solovino tardó
casi dos horas
en atravesar el jardín
de punta a punta.
Iba a paso de tortuga.

El colmo fue
cuando,
entre varios vecinos,
organizamos una excursión
a la orilla del bosque.

En realidad no es
un bosque, bosque,
sino un monte
lleno de árboles
que se ve desde las casas.
Nuestros papás
nos dieron permiso
de acampar ahí,
así que nos sentíamos
excursionistas y libres.

Apenas
habíamos iniciado
la observación de pájaros,
con binoculares y todo,
cuando vi a Solovino
subido en una roca.

A esa hora de la tarde,
pasan todos los pericos
para llegar a dormir
a sus árboles.
En el día buscan comida
y se divierten volando de
un lado a otro
de la ciudad.

Al momento
de pasar la parvada,
ahí va Solovino,
se lanzó con las patas
bien extendidas
dando un salto
casi mortal.
No sé si creía
que le saldrían
alas de repente.

Pero la excursión
terminó
sin tiendas de campaña
y con Solovino
en el veterinario, en
donde le tuvieron que
enyesar una pata.

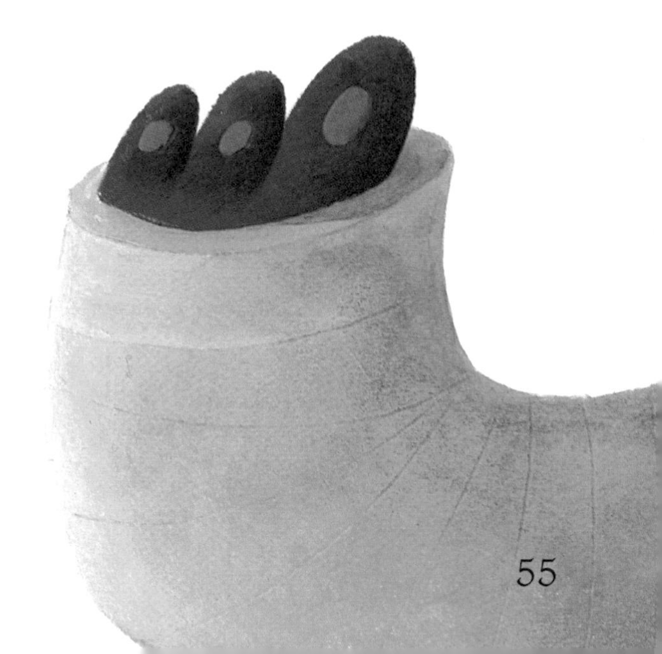

Lo bueno es
que Solovino
también sabe ser perro,
sobre todo si no hay
otros animales a su alrededor.
Entonces jugamos
como niño y perro normales.

Antes
me avergonzaba
de las imitaciones
de Solovino.
Ahora me siento
muy orgulloso.
No cualquiera puede
tener una multimascota,
o sea, una mascota que
es perro y gato, tortuga,
pájaro y pez,
todo a la vez.

EL BARCO  DE VAPOR

Quizá estás familiarizado con el cuento de los tres cerditos que se enfrentan al lobo feroz. La historia del papá de los tres cochinitos es menos conocida, pero mucho más original. Como su célebre descendencia, este cerdo es práctico, honrado y trabajador, y además le gusta la filosofía. Eso sí, habitar en el mundo de las ideas no le impide salir al mundo real a defender a sus hijos del malvado (pero sonriente) lobo, cueste lo que cueste.

EL BARCO  DE VAPOR

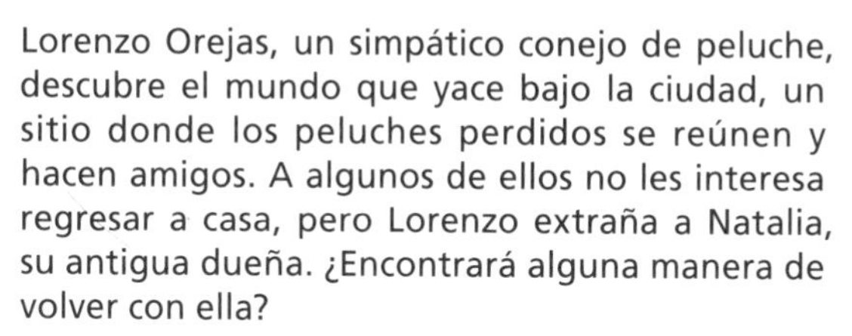

Lorenzo Orejas, un simpático conejo de peluche, descubre el mundo que yace bajo la ciudad, un sitio donde los peluches perdidos se reúnen y hacen amigos. A algunos de ellos no les interesa regresar a casa, pero Lorenzo extraña a Natalia, su antigua dueña. ¿Encontrará alguna manera de volver con ella?

Solovino, el perro equivocado
se terminó de imprimir en septiembre de 2015
en Fotolitogáfica Argo, S. A.,
Calle Bolívar No. 838, Col. Postal,
C. P. 03410, Benito Juárez, México, D. F.
En su composición se emplearon
las fuentes Caxton y Helvética.